COLL

C000053748

Timothée de Fombelle

Neverland

Gallimard

Timothée de Fombelle est né en 1973. Il crée à dix-sept ans une troupe de théâtre pour laquelle il signe des pièces qu'il mettra aussi en scène. Il devient professeur de lettres, enseigne quelques années à Paris et au Vietnam. Ses romans *Tobie Lolness*, *Vango* et *Le livre de Perle* sont tous des best-sellers vendus dans le monde entier. Avec *Neverland*, il réalise son premier pas en littérature adulte. Il continue également à écrire pour le théâtre et la danse.

I

Il y a dans les hauts territoires de l'enfance, derrière les torrents, les ronces, les forêts, après les granges brûlantes et les longs couloirs de parquet, certains chemins qui s'aventurent plus loin vers le bord du royaume, longent les falaises ou le grillage et laissent voir une plaine tout en bas, c'est le pays des lendemains : le pays adulte.

Les enfants qui vont près de cette lisière, au milieu des herbes plus hautes que leurs épaules, surprennent parfois en dessous d'eux, dans le fond de la plaine, la mort ou des amoureux, par accident. Ces apparitions ressemblent à des éclats de verre au soleil. Elles éblouissent et disparaissent aussitôt, cachées par des nuages bas.

En retournant vers la forêt profonde avec leurs arcs et leurs flèches, les enfants croient oublier cette vision. Mais elle a semé en eux un noyau de cerise qui grandit déjà à l'intérieur.

J'ai eu ma poignée de noyaux. Je crois même que ce sont eux qui nous font pousser. Et je me souviens, quand on les avalait, les yeux écarquillés, le plaisir dangereux de ces corps étrangers prêts à éclater. On regardait tout autour. Est-ce que quelqu'un nous avait vus ? C'était comme si on avait volé quelque chose. On attendait un peu pour sentir au fond de nous ce qui allait se passer, le voyage du noyau dans un monde invisible.

J'ai frôlé souvent la lisière, comme tous les enfants, avec la vue dérobée sur le pays adulte – j'ai vu par exemple ma mère pleurer sur un pont de pierre dans les bras de ma grand-mère. Elles ne m'ont pas vu, j'étais caché au bord de la rivière – mais j'ai toujours pu me retourner en me frottant les yeux, replonger dans le maquis de l'imaginaire, rêver, laisser croire que je ne savais rien, chasser les étourneaux au lance-pierre, construire des machines, marcher sur cette couche fine de glace qui ne supporte que le poids des petits êtres.

Je sais que pour une seule enfance intacte, un jardin suspendu comme le mien, il y en a des dizaines qui tombent en éboulis vers la plaine ou sont mangés par le désert. Je regarde passer ces jardins assiégés, dévastés, qui promènent leurs yeux grands ouverts.

Alors je me demande qui a veillé pour moi sur les frontières du haut plateau de l'enfance. J'ai grandi grâce à ces falaises, aux haies d'épines et de châtaigniers qui montaient la garde et nous laissaient inatteignables. Et quand je me suis mis à écrire des histoires, je prenais mon tour sur le chemin de ronde. J'avais cessé d'être le petit Indien. Je gardais le royaume. J'empêchais le déboisement. Je croyais défendre ce monde cerné par le bruit des chenillards et le craquement des arbres qui tombent. Je relevais à la main les haies couchées dans la boue.

Du temps où j'étais un Indien, je me demandais à quel moment, à quels signaux de fumée, je saurais que je devrais passer de l'autre côté et descendre dans la plaine. Je regardais l'eau se jeter en cascade au bout du pays. Un torrent devait naître tout en bas. Quand faudrait-il le rejoindre ?

Aujourd'hui, je suis incapable de dater ce grand passage. Il me semble seulement qu'un matin on se réveille adulte dans le regard des autres. On hésite un instant. On ne se sent ni préparé ni volontaire pour le voyage. Mais il y a ce regard, en face, qui nous considère, et puis cette aspiration lointaine, le vent de la plaine que l'on sent pour la première fois sous sa chemise et un petit tas de noyaux de cerises au fond de nous, qui fait un peu mal.

Ce qui nous attend est déjà là, en pièces détachées. Alors on fait semblant. Cela commence toujours ainsi. On fait semblant d'être grand. Et, dans le meilleur des cas, je crois, on fera semblant toute sa vie.

II

Je suis parti un matin d'hiver en chasse de l'enfance. Je ne l'ai dit à personne. J'avais décidé de la capturer entière et vivante. Je voulais la mettre à la lumière, la regarder, pouvoir en faire le tour. Je l'avais toujours sentie battre en moi, elle ne m'avait jamais quitté. Mais c'était le vol d'un papillon obscur à l'intérieur : le frôlement d'ailes invisibles dont je ne retrouvais qu'un peu de poudre sur mes bras et mon cou, le matin.

Je ne voulais pas parler de mon enfance, je voulais l'enfance absolue, la source commune, l'eau violette des origines.

Je me souviens de ce besoin qui m'a envahi un jour d'attraper l'enfance pour la tenir, comme dans une cage entre mes mains fermées, et la montrer aux autres en écartant doucement les doigts.

— Regarde, elle est là. Tu la vois ?

C'est arrivé au milieu de ma vie. Autant d'années à vivre, peut-être, que de temps vécu. J'avais senti l'absence de l'enfance dans tout ce qui commandait la marche du monde à ce moment-là. Et ce monde ressemblait à une steppe, une plaine asséchée, fendue de colonnes de guerriers. Aucune trace de l'enfance nulle part. La terre craquait tout autour. Comment y grandir ? Il manquait ces noyaux tachés de rouge qui font sonner les grelots morts.

Je m'étais équipé comme un chasseur de dragons ou de chimères. Impossible de savoir ce dont j'aurais besoin. J'avais prévu les sarbacanes, les potions, les casiers, les filets, un petit cheval assez rapide, des fléchettes qui endorment, et même les brosses de soie et les petites cuillères dont se servent les archéologues pour déterrer des trésors anciens sans les abîmer.

J'étais le chercheur d'or, le chasseur fou, illuminé par ce rêve. Je marchais à la verticale sur le chemin étroit avec mon cheval. L'ombre de mon équipage se projetait à côté de moi sur la paroi. Les épuisettes se dressaient dans mon dos comme un bouquet de drapeaux.

Je ne savais pas si ce bric-à-brac me servirait un jour. Il existe des filets à la trame assez large pour ne prendre que les gros poissons. Mais quelle maille ne gardera que les petits ? Qui l'inventera ?

Comment attraper l'enfance seule, et ne pas l'écraser au fond du filet sous le poids des grands qui étouffent tout ?

Je croyais qu'un pays la gardait à l'abri, cette enfance, même quand on grandissait. Une province effacée. Je rassemblais ses traces. J'avais fait des plans dans mes carnets, des bouts de cartes confuses auxquelles manquaient l'échelle et la rose des vents.

Cela a pris beaucoup de temps. C'était un voyage incertain. J'ai dormi sous la lune. J'ai travaillé ma technique à chaque étape, le soir près du feu, pour retrouver le chemin. Je dessinais ma géographie au crayon bille : les sentiers, les frontières, les cours d'eau. J'ai fabriqué mes outils à la lumière des flammes, taillé au couteau le cadre d'un tamis, cousu le grillage à ce cercle avec du fil de chanvre. Puis, un matin, je me suis agenouillé sur le sable des rivières.

J'ai tamisé lentement, jour après jour. Mais ce qui m'intéresse n'est pas ce qui reste dans le tamis. Ce qui m'intéresse est justement ce qui traverse, ce qui échappe, un sable plus fin qu'une fumée.

C'est l'enfance.

III

Je me rappelle le jour d'été où j'ai peut-être quitté l'enfance, même si quatre ou cinq autres souvenirs s'agitent aussitôt en moi pour revendiquer la grande traversée. Ce jour auquel je pense, j'avais été appelé par mon grand-père dans sa chambre du premier étage.

C'était la fin du mois d'août, dans la pente douce de l'été qui sent la mûre, l'orage, le cahier neuf, trois odeurs que je ne sais plus différencier parce qu'elles réveillent la même sensation : les maisons qui se vident autour de moi, l'horloge qui se remet à battre dans sa boîte.

Au lendemain du 15 août, les feux de l'été avaient été noyés sous la pluie. Les autres enfants s'évaporaient un à un. Et les cabanes de juillet ressemblaient déjà aux ruines de civilisations disparues.

La chambre de mes grands-parents était la tour de contrôle de notre univers. Une fenêtre donnait sur le soleil levant, la rivière, les prairies, la forêt. L'autre, en face, attrapait le couchant, la suite de l'eau et des nénuphars, et laissait voir la route départementale, seule preuve de l'existence du reste du monde. Mais la chambre ne se contentait pas de veiller sur le paradis de notre enfance, elle en était aussi le cœur chaud et vivant. C'était la pièce la plus habitée de ce labyrinthe de pierres et d'ardoises posé sur une île de la Sèvre. Le reste était impossible à chauffer en hiver malgré les corvées des enfants pour alimenter avec le bois des forêts l'immense chaudière de cette locomotive.

Du bois et des livres. Voilà ce que nous devions transporter d'un lieu à l'autre, d'une bibliothèque à l'autre, quelques heures dans l'été. Et j'avais l'impression que ces travaux étranges confiés aux enfants étaient le seul loyer à payer pour ce royaume et cette liberté.

Mais ni la température, ni le tapis épais, ni la voluptueuse chaise longue de ma grand-mère, ni les tiroirs remplis de trésors, ni même cette minuscule télévision couleur qui s'était installée là un jour de folie moderne et faisait penser à un micro-ondes planté dans le château de la Belle au bois dormant, rien de cela n'était l'essentiel du rayonnement de la chambre du premier étage.

Ce qui faisait battre notre cœur en y entrant, c'était nos grands-parents et la manière qu'ils avaient de nous en ouvrir les portes.

Mon grand-père s'était tourné vers moi quand j'étais entré. Il se tenait debout devant la fenêtre démesurée, beau comme un héros de Visconti, pantalon beige porté très haut et chemise aux manches relevées. Ma grand-mère était dans son lit avec, à côté d'elle, un plateau couvert de miettes et un moutonnement de livres et de journaux entre les vagues de l'édredon.

L'été, jusqu'à onze heures du matin, ma grand-mère recevait dans son lit. Elle s'en excusait chaque fois longuement auprès de nous, comme si c'était un événement rare, incompréhensible, une exception, un accident dont elle riait presque, se désolant d'un petit coup de paresse.

— Écoute, je ne sais pas, ce matin, mon chéri, je ne suis pas en avance.

Mais la vraie surprise pour nous aurait été de la trouver habillée avant midi.

Chaque matin de toute sa vie, elle reçut de mon grand-père un petit déjeuner qu'il préparait et lui montait dans son lit. Et quand, en découvrant un hiver une lettre de fiancé qu'il lui avait écrite au retour de captivité, je lus ces mots : « Je vous ai dit que toute ma vie serait consacrée à assurer votre bonheur et que je serais très difficile en cette matière, je ne veux pas pour vous d'un petit bonheur médiocre, à quatre sous, je veux un bonheur total, rayonnant, incommensurable. Je veux que vous viviez dans la gaieté, dans la confiance, je veux que vous n'en croyiez pas vos yeux », quand j'ouvris, alors qu'ils avaient déjà tous les deux disparu depuis longtemps, cette lettre écrite à vingt ans, je ressentis le tremblement de terre que provoque en nous la parole tenue toute une vie. Le même bruit que font les rêves d'enfants quand ils se réalisent.

Ce matin-là, ma grand-mère se glissa hors de son lit devant moi, attrapa sa robe de chambre et disparut dans la salle de bains. Je voyais bien qu'elle ne s'était pas échappée par hasard. J'étais maintenant seul avec mon grand-père. Et, à sa manière de parler bêtement du petit cheval qu'on apercevait au loin par la fenêtre – « Il est bien seul, regarde. Il lui faudrait deux moutons. Ou un âne » –, j'avais deviné qu'il avait quelque chose d'autre à me dire, quelque chose d'important qui attendait.

IV

J'avais entendu parfois ce nom, celui de son plus cher ami d'enfance : Coco. Ils avaient été à l'école ensemble et ne s'étaient jamais perdus de vue. Le mot *Coco* me faisait donc depuis toujours l'effet d'un objet venu d'un monde théorique, l'enfance d'un vieil homme. Quand mon grand-père prononçait ce nom, il rejoignait un instant cette planète lointaine, sa bouche prenait la forme de celle d'un enfant de sept ans. Et le reflet de Coco dans ses yeux n'était pas plus vieux. Pour moi, Coco avait sept ans pour l'éternité. Car qui pouvait croire qu'il y ait au monde un quelconque Coco dépassant l'âge de raison ?

Mais Coco allait avoir quatre-vingts ans. Et sa famille venait de demander à son plus ancien ami s'il pouvait écrire un mot pour le célébrer.

Mon grand-père me regardait, étrangement inquiet.

— J'aime beaucoup Coco. Je t'ai déjà parlé de Coco ?

J'avais envie de dire non et de goûter encore un peu ces deux syllabes prononcées par une grande personne.

— Le problème, dit-il soudain, c'est que je ne peux plus rien écrire.

J'ai essayé de sourire. Je connaissais la plume de mon grand-père, la musique de sa langue. La parole était son trésor de toujours. Il avait le génie des mots vibrants, il était orateur, clown à l'occasion, romantique ou prédicateur selon les jours. Il faisait mécaniquement des vers sans s'en rendre compte, et son unique héros s'appelait Cyrano.

Il répéta en regardant par la fenêtre :

— Je ne peux plus écrire un mot. Je ne sais pas. Ça ne va plus très bien.

J'entendais cette cadence inconnue dans sa voix.

— Tu vois, même pour Coco. Je n'y arrive pas.

Il s'était tourné vers moi au moment de dire encore une fois ce nom étrange et j'avais découvert, en plus du visage de l'enfance, quelque chose de perdu que je n'avais jamais vu chez lui. Des yeux un peu plus grands, des lèvres tristes.

— Je voudrais, s'il te plaît, que tu écrives pour moi quelques lignes à Coco.

J'ai dû sourire encore parce que je ne pouvais pas faire mieux que sourire. Un grand-père demandait un service à l'un de ses petits-enfants. Cela aurait pu être la situation la plus ordinaire. Mais ce jour-là, parce que c'était lui qui me faisait cette demande-là, cette demande précise, lui qui n'en avait aucun besoin, à moi qui aimais tant écrire, il ouvrait devant mes pieds un gouffre. Un de ces gouffres qui se creusent un jour entre nous et l'enfance.

— Ça n'aura pas besoin d'être long…

Il regardait ses mains.

— Je ne sais pas. Une page. Je te fais confiance.

Il attendait une réponse, comme si j'avais pu refuser. J'hésitais seulement à retenir un peu avec moi le grand-père immortel que je m'étais fabriqué. Je ne savais pas si je devais me jeter vers lui et me battre pour ne pas le laisser s'en aller. J'avais peur et j'avais faim à la fois. Peur et faim de cette confiance absolue, de cet abandon, de cette faiblesse.

J'avais les talons posés au bord de l'enfance, les mains dans les poches. Et je me penchais doucement en avant.

On entendait l'eau couler dans la salle de bains. Ma grand-mère écoutait peut-être à la porte. Mon grand-père appuyait les mains sur le petit bureau. Il s'appliquait à se tenir bien droit. Trop droit pour être honnête.

Je finis par lui dire :

— Bien sûr que je peux écrire quelque chose.

Il acquiesça longuement de la tête.

Lui qui nous récitait *Cyrano* en entier, par cœur, du premier au dernier vers, il m'abandonnait le rôle avec soulagement. J'écrirais dans l'ombre et il signerait.

— Je peux faire juste un sonnet. D'accord ?

— D'accord, me dit-il. Tout ce que tu veux.

J'aimais bien les sonnets. C'était suffisamment court pour ne pas me démasquer. Je ferais en sorte qu'en lisant ces quatorze lignes, même Coco ne se rende pas compte qu'une heure avant de les écrire le poète était encore un enfant.

Poussant la porte de la salle de bains, ma grand-mère réapparut à ce moment-là dans un nuage de vapeur et de bulles de savon. Elle se parlait à elle-même, affairée, « Voilà, voilà. Je suis presque prête, mes petits chéris », sans nous regarder une seconde, pour que l'on sache bien qu'elle nous laissait seuls, tous les deux, avec notre secret.

Je pourrais trouver d'autres lieux, d'autres ponts-levis, d'autres portes dérobées qui seraient celles qui m'ont fait sortir de l'enfance. Impossible de ne choisir qu'un seul point de passage. Cet embarras est le luxe de ceux qui n'ont pas vu brûler leur maison une nuit par surprise.

Moi, je suis sorti à petits pas, en m'aventurant vers la lisière, en perdant mon chemin, en oubliant de me retourner.

Je n'ai pas connu cette boule de lumière et de peur qui laisse certains enfants dans une couverture, sur la route ou au fond de leur chambre, les yeux secs et les cils fondus. Ceux-là, ceux qui ont connu ce feu, sauront pour toujours, à la minute près, le moment précis où tout s'est arrêté.

Mais il me semble que j'écris aujourd'hui pour traverser les flammes avec eux, dans l'autre sens, et retrouver des lieux intacts.

V

Je n'ai pu d'abord que sentir le monde.
Le froid d'une vitre sur laquelle on écrase
son nez, le bruit d'une scie lointaine,
l'odeur du matin, le goût salé du bois de
mon lit. Je sens, je regarde. Les fissures
sur le plafond, la respiration du chien.
J'écoute les voix de l'autre côté du mur. Je
serre le drap dans mon poing. Une ombre
bouge sur le rideau. Je retiens ma respiration pour mieux entendre.

L'enfant est une île. Il ne sait et ne pos-
sède rien. Il devine des forces immenses
sous les bandelettes qui serrent son
corps. Pour lui, le lendemain n'existe
pas. Le passé a déjà disparu. L'enfant
commence par être cet instant suspendu,
désarmé, qui jaillit comme un bouchon

au milieu de la mer et regarde autour de lui.

Et quand il sera ivre d'avoir senti, quand il aura l'intérieur tapissé de ce qui l'entoure, il se mettra à imaginer.

Il découvrira cette énergie renouvelable à l'infini : l'imaginaire. Le premier mouvement qui le pousse dehors. Il jettera dans ce courant les objets inanimés qui l'entourent, le cerf-volant, la petite hélice ou la poignée de cendres. Il inventera. Il complétera de l'intérieur ce qu'il voit dehors. Il finira le monde. Il fera des histoires.

Mais au début, il n'y a que la sensation. Le monde vient cogner contre lui et l'enfant le laisse entrer.

C'est la nuit, je m'en souviens. Quelques secondes de silence quand le moteur se tait. On pense bien qu'on est arrivés. Pourtant, on garde les yeux fermés. Tout s'est arrêté. Pas encore le bruit des portières et du coffre.

Moi, à l'arrière, j'ai bien remarqué ce silence absolu à chaque fois, même si je dors. Peut-être un simple souffle à l'avant parce que mes parents se rapprochent l'un de l'autre. Peut-être qu'ils respirent juste, sans bouger. Peut-être qu'ils s'embrassent. Et, s'il pleut, l'immobilité dure un peu plus longtemps, pour profiter du sec et prendre de l'élan. Je dors. Je ne suis pressé de rien. La route est une bande-son délicieuse pour les enfants endormis.

Je sais que mes parents se sont retournés. Un froissement ample qui s'interrompt. Ils nous regardent longtemps. On est arrivés. Ils le disent tout doucement. La deuxième fois, l'un de mes frères se met à bouger. Mais je tiens bon. Si je tiens bon, on me portera peut-être. J'essaie de ne pas sourire, de ne pas bouger un cil, mais je viens soudain de me rappeler l'endroit où la voiture s'est arrêtée. Je pourrais bondir. Les vacances. On est arrivés ! Je pourrais me précipiter dans la nuit.

Je résiste. Je veux me laisser porter dans des bras. Je garde la surprise pour le lendemain. J'attends.

Quand mon père me prendra contre lui, on fera tous les deux semblant de ne pas savoir que je ne dors pas. Le froid nous traversera.

— On est arrivés...

Je sentirai les rainures de la banquette imprimées sur mon visage. On grimpera dans les étages, à travers les couloirs et les chambres glacés. Mais je retrouverai le bruit des portes, celui du pas de mon père sur les différents sols, l'odeur de l'escalier de pierre, cet atlas sensible de la maison que je parcours comme si j'avais les yeux ouverts. Je reconnaîtrai aussi le lit sur lequel on me pose.

On retire mon manteau en me tordant le bras. L'art délicat, l'art impossible de déshabiller un enfant qui dort.

Les draps sentent la pluie et la cire. Un frisson se met à courir en moi. Une vague de froid et de joie emmêlés. Je plonge dans les plumes de l'oreiller pour ne pas crier. La lumière s'éteint.

Mais, au même instant, je suis aussi sous la pluie juste en bas. Au volant d'une autre voiture, devant la grille, je suis presque sûr d'avoir vu s'éteindre la lumière de la fenêtre. Tout est fermé. Personne n'a dormi ici depuis longtemps. Je n'ai plus la clef du portail.

Je suis venu pour l'enfant qui est là-haut, l'enfant que j'étais, qui entend s'éloigner le pas de son père et résonner la porte de l'escalier en pierre.

Il est minuit. J'ai mal au ventre. Je sors de la voiture et j'escalade la grille. Je pense à la quête qui m'a mis sur la route. Je cherche ce petit sonnet qui m'a sorti de l'enfance. Il doit être au deuxième étage, dans l'ancien bureau de mon grand-père. Le poème est resté là. J'en suis certain. Je suis parti des heures plus tôt, à la tombée de la nuit, sans l'avoir prémédité, pour prendre d'assaut la forteresse abandonnée.

Alors, en équilibre au sommet de la grille, dans la lumière des phares, un souvenir me revient.

Je me rappelle, vers huit ou neuf ans, m'être convaincu que j'étais l'objet d'une conspiration générale. Il me semblait que j'étais une fiction cultivée par mes parents et par tous ceux qui m'entouraient. De toute part, on essayait de me faire croire que j'étais bien moi-même, mais j'avais repéré les indices qui prouvaient que je n'existais pas. Et quand ils s'adressaient à moi le plus normalement possible, quand ils mettaient un couvert à mon intention sur la table, ils faisaient tous semblant que j'étais bien là.

Je n'en avais parlé qu'à mon grand frère. J'étais allé le retrouver dans sa chambre au milieu de la nuit.

À la fin, j'avais dit :

— Voilà.

Il était resté silencieux dans le noir. J'avais ajouté :

— Comme ça, tu sais.

Il avait pris le temps d'y réfléchir, avec

beaucoup de gravité, et s'était finalement associé à mon sort, certain d'être victime de la même machination.

Nous étions deux absents, deux fantômes, deux êtres inventés et réinventés tous les jours dans un but mystérieux. Je me souviens de mon soulagement quand il m'a rejoint, de ma joie à ne pas être seul pour allumer chaque matin les contre-feux de l'imaginaire.

À aucun moment ce grand soupçon ne m'a vraiment inquiété. Cela donnait même une certaine plasticité à nos vies. Nous n'avions plus qu'à les tailler comme nous voulions, comme des histoires que nous racontions. D'ailleurs, des gens surveillaient de près cette mise en scène. Le type derrière moi dans la rue, quand je rentrais de l'école, n'était pas là par hasard. J'en entendais un autre passer sur les toits, la nuit, quand le vent se levait. Ils veillaient à ce que chacun joue parfaitement son rôle.

Quand on grandit, quelques tristesses se chargent de nous donner des preuves de notre existence et de celle des autres.

Mais est restée gravée en moi l'idée d'une vie qui s'invente, qui se construit dans l'air avec chaque geste que l'on fait.

Aujourd'hui, prêt à me glisser dans la maison de mon enfance, je retrouve soudain cette impression de conspiration, de filature, et je me dis que là-haut, derrière la fenêtre éteinte, un petit garçon s'est levé de son lit, a soulevé le rideau et regarde la silhouette accrochée à la grille, en se disant qu'il ne s'est pas trompé.

Oui, le type est encore là à le suivre... Regardez-le qui se croit malin avec sa voiture sur le pont ! Il n'a même pas éteint les phares.

Mais l'enfant sait-il que celui qui le traque et dont l'ombre s'étale sur la façade, c'est l'homme qu'il deviendra, qui s'arrêtera une nuit, le souffle court, perché en équilibre sur une grille à la verticale de l'enfance ?

VI

Il y a des petites traces dans la boue, au bord du marais. C'est l'aube. La brume flotte sur l'eau. Je me penche pour mesurer la profondeur des pas. Mon cheval m'attend dans les roseaux et surveille mes bottes posées sur la rive.

De l'œil, je suis les traces qui flânent jusqu'à l'eau. Quelqu'un est venu boire ici. Le pied est plus petit que ma main mais il ne s'enfonce pas. Moi, j'ai de la vase jusqu'aux genoux. J'ai retroussé mon pantalon. Mes carnets sont à l'abri dans mes bottes.

Je regarde les saules, le long de l'eau. L'enfant y est peut-être encore. Je l'ai manqué de peu. Je veux les retrouver, lui et son pays.

Mon cheval remue soudain. Il tourne vers moi son front plat et ses yeux. A-t-il enfin compris ce que je cherche, lui qui me prend pour un fou ?

Sent-il traîner ce souvenir autour de nous dans les roseaux ?

Je ne suis pas le premier à être parti un matin en chasse de l'enfance. Les Rois mages, les ogres, les loups des contes de fées, les soldats du roi Hérode, ceux des reines stériles, les raconteurs d'histoires, les poètes, et tous les capitaines Crochet du monde, poursuivis par le tic-tac du temps... Ils cherchaient. Chacun avait des intentions différentes. L'enfance était pour eux un remords, une menace, une proie, un élixir, peu importe. Mais leurs pistes croisent la mienne, et dans la proximité de ces chasseurs, dont je vois parfois les feux de camp éteints en traversant une clairière, je reconnais la quête qui me réveille en sursaut au milieu de la nuit. Je reste longtemps sur le dos à dériver dans mon sommeil. Puis je me lève pour boire un peu d'eau à ma gourde.

Je voudrais tant le rencontrer ici, l'enfant qu'on croise en pyjama dans l'obscurité.

C'est un petit globe terrestre chiffonné qui marche avec ses forêts éteintes, ses lacs, ses cités lumineuses. J'entends sa respiration et le frottement de ses pieds. Je dis son prénom dans la nuit, il ne répond pas forcément. Il a oublié ce qu'il fait là et pourquoi il est sorti de son lit. Je le raccompagne.

— Ce n'est pas encore le matin.

Il ne comprend pas. Pour lui, le matin jaillit dès qu'on ouvre les yeux.

— Pourquoi ce n'est pas demain ?

Mais il fait confiance. Il se laisse entraîner par la main.

Dans l'enfance, le temps et la nuit sont un trésor qu'on ne compte pas, qu'on ne découpe pas en heures ou en minutes. On regarde ce coffre rempli, on y plonge les mains et les bras, les yeux fermés, sans jamais toucher le fond.

La brume commence à s'enfoncer dans l'eau. J'essuie mes pieds nus dans l'herbe et je remets mes bottes. Il faut repartir. Mon cheval s'est approché de la rive. Je me dirige vers lui.

Il a la légèreté de tous les matins. La grâce des recommencements. Il file comme si je ne pesais rien.

Je me penche à son oreille.

— Emmène-moi là-haut.

Les jours passant, j'ai allégé mon équipage. Un soir, j'ai laissé au pied d'un arbre ma quincaillerie de filets et de sarbacanes, puis les cordes, puis les appâts, et le lendemain les livres que j'avais crus utiles à ma quête. Je garde seulement mes carnets. Je n'ai besoin de rien d'autre que ce que je porte en moi.

Je me souviens du matin où tout a commencé.

À peine levé, j'avais traversé la ville

sans croiser un seul enfant. Il pleuvait. Je rentrais en courant sous les porches des immeubles pour débusquer des petits vélos ou des dessins à la craie sur le sol. Rien. Pas un enfant nulle part. Pas une poussette pliée dans un coin.

Il y a, vers neuf heures du matin, une éclipse de l'enfance dans la ville. Même en passant près des murs des écoles, on n'entend pas une voix d'enfant. Et en levant les yeux, on ne voit que les néons allumés au plafond des étages.

J'avais déjà remarqué cette disparition mais, pour la première fois, elle m'alertait. Elle m'ouvrait les yeux. Je sentais comme elle déséquilibrait le monde. Tout me semblait à l'abandon.

À l'abri, au comptoir d'un café, j'ai feuilleté les journaux. Pas une page, pas un mot ne parlait de l'enfance. Cela arrive chaque jour. Aucune trace. Aucun visage d'enfant sur l'écran bruyant dans un coin de la salle. Et puis j'ai vu, par la vitrine, une femme se baisser très bas sur le trottoir, sous la pluie, et tendre la main vers quelqu'un que je ne voyais pas, caché par l'angle de la rue. Elle souriait. Je respirais à nouveau en m'approchant de la vitre. Étaient-ils enfin revenus ?

Mais c'était un chien minuscule qui traînait sa laisse dans l'eau du caniveau. Il portait un petit costume boutonné en laine. Elle l'a pris dans ses mains mouillées.

J'ai marché encore longtemps dans les rues, aspiré par cette grande absence. Et malgré des signes qui réapparaissaient peu à peu – un petit chausson abandonné dans une flaque d'eau, une femme enceinte, un landau vide attaché avec un cadenas –, malgré ces signes qui me promettaient que l'éclipse ne durerait pas, j'avais déjà décidé de m'en aller. Tenter d'attraper l'enfance, monter vers ce grand réservoir caché dans une combe profonde, au-dessus de nous.

VII

Un jour, pourtant, on surgit dans leur vie. Les enfants nous entendent venir de loin. On plante nos antennes-relais et nos boutiques. On allume en grand les lumières. Les haut-parleurs crient de ne plus avoir peur, alors que personne ici, avant nous, n'avait jamais eu l'idée d'avoir peur.

Un jour, on surgit. On prend des airs de compassion. Comme si l'enfance était une maladie qui finirait par s'arranger. On s'approche des petits, on remplit leurs mains et leurs jours.

On leur apprend qu'ils peuvent tomber.

On devance leur faim.

On les occupe.

On décide de donner un nouveau nom

au temps long de l'enfance. On l'appellera l'ennui.

Ainsi commence l'occupation.

Avant nous, les heures étaient élastiques. Les enfants les tendaient comme de la pâte qui s'étire et se met en boule. Cette pâte levait lentement dans la chaleur de l'été. L'hiver, elle patientait comme les bulbes des jonquilles sous la terre.

La rêverie était le ferment des jours.

Elle ne laissait aucun vide. Elle ne tenait pas seulement dans la tête de l'enfant. Elle débordait dans son corps entier. Il sentait la brûlure quand soufflait le dragon, tremblait de froid en chassant l'ours dans la neige.

L'enfant rêve d'abord avec sa peau et sa sueur.

Après des heures de course entre mes draps, j'ouvrais les yeux, épuisé, trempé, les jambes trop lasses pour aller jusqu'à la chambre de mes parents. J'embrassais mon oreiller.

Et la rêverie s'écoulait au-delà de moi.

Elle déguisait les passants, faisait grandir les sauterelles à la taille des géants, mettait des troupeaux de chevaux sauvages sur le plafond au-dessus de mon lit, des fées dans les rideaux. La rêverie recouvrait le monde de sa vague comme la brume entre les montagnes.

Avant l'occupation, la vie était une succession d'instants qui se touchaient parfois mais ne se mélangeaient pas. Une fièvre attrapée un jour de pluie, par exemple, n'était qu'un chapelet d'instants, remplis d'eux-mêmes à ras bord, et dont le contenu tenait dans le gras d'un ou deux mots qu'on n'avait pas besoin de prononcer : pluie, maison, silence, pluie, attente, dessin, pluie, encore, et embellie, joie, manteau, herbe mouillée, chute, boue, doigts glacés, retour, chemise de nuit, feu, bouillon, lit, fièvre, obscurité, larmes, frissons, lait au miel, consolation.

Notre vie était un collage de ces événements qui racontaient une histoire qu'on ne voyait même pas. Chaque instant suffisait, et faisait dans la bouche comme les berlingots de lait sucré ou comme les Malabar. Énormes et indivisibles, ils tiennent concentré l'enfant qui les mange. Tous les muscles du visage mâchent et avalent avec lui, et même les yeux s'absentent, arrondis par le sérieux du moment.

En grandissant, j'ai vu ralentir le moulin du temps. La joie durait plus longtemps, mais la peine aussi. On tardait à se relever de la fièvre. La tristesse déteignait, se mélangeait aux plaisirs. Les jours s'écrivaient sur du buvard. J'avais perdu la trace de l'instant pur. La vie devenait un alliage. J'ai appris à aimer cette matière ordinaire, imparfaite, si différente du caillou rond de l'enfance.

Car je me rappelle les premiers temps comme un âge de pierre. Le galet était dans la main, dans la poche. La pierre rebondissait. Elle faisait des ricochets et disparaissait.

Le silex donnait juste des étincelles. Jamais de flammes mais l'odeur du brûlé, et l'incendie caché dans un repli à l'intérieur. Je devinais que le feu m'apparaîtrait plus tard, un jour, en grandissant. Ce mystère me tirait en avant.

Après l'eau des commencements, si lointaine mais dont je crois parfois me souvenir, l'enfance a donc d'abord été ce temps de pierre, d'un seul bloc, ou bien ce temps de sable, la pierre liquide dans laquelle on trempe son corps au soleil.

L'âge de bois est venu ensuite, vers six ou sept ans. Le végétal nous prenait par l'épaule. L'arbre était le rival, le camarade. On se battait avec un morceau de bois, on escaladait les branches, on fauchait les fleurs avec le pied en courant dans l'herbe, on s'accrochait aux hameçons des ronces, on soufflait sur le pissenlit pour l'éparpiller dans l'air.

On fraternisait avec cette enfance qui dort sous l'écorce des arbres, le bourgeon nouveau-né, les branches qui poissent comme la confiture. L'arbre, c'était le copain, l'artisan des cabanes, le bâton qui court à côté de nous dans les rapides, le long du trottoir. Le caillou, lui, était resté

dans ma poche comme un porte-bonheur,
petit souvenir de l'éternité.

J'avais douze ans, je venais d'arriver
seul avec ma grand-mère dans la petite
maison sous les chênes verts, au bord de
la mer. Une île qui sort de l'eau comme
un sous-marin en juillet et plonge quand
je m'en vais.

Cette fois, c'est l'autre grand-mère, celle
qui m'appelle *Mimi-mon-ange* en secret si
je la rejoins à quatre ans et demi dans son
lit barricadé de livres. Et quelle que soit
l'heure de la nuit, la lumière ne s'éteint
jamais sous sa porte comme si elle attendait quelqu'un.

Elle lit toute la nuit.

Du soir au matin, le chignon défait
sur les épaules, elle s'en va dans des vies
lointaines. Impossible d'oublier ce trait de
lumière sous sa porte qui m'a fait croire
que lire, c'était attendre quelqu'un.

Je remonte de la plage. Le vent est

resté derrière la dune. À chaque pas, le parfum des fougères se mélange un peu plus à celui des pommes de terre sautées. J'entre dans la cuisine. Ma grand-mère a déjà mis les deux assiettes sur la table. Elle me demande :

— Tu es allé voir la mer ?

Les pommes de terre claquent dans la poêle avec le romarin. La maison est encore froide. Je fais rouler du sable sous mes pieds nus.

— Oui. J'étais dans les rochers. Ils m'avaient l'air plus grands l'année dernière.

Elle sourit sans me regarder.

— C'est toi qui grandis.

Aujourd'hui, je me souviens exactement de ces mots. Et c'est vrai qu'en grimpant sur mon rocher, je me suis senti soudain différent. Une autre ligne à ajouter peut-être dans le cahier des jours où l'enfance m'a quitté.

Là-haut, j'ai senti quelque chose couler de mes épaules. Comme un vêtement que m'aurait arraché le vent pour se glisser sous ma peau. Et, la poitrine soulevée par ce courant d'air chaud à l'intérieur, j'ai cru pouvoir m'élever un peu au-dessus de moi et me regarder sur le rocher.

Je m'observe avec attention. Je vois ce qui m'attend. Les nuages filent en accéléré. La mer se plie et se déplie. Les ombres changent. Des murs se construisent devant les vagues. La ligne blanche du continent en face. Des gens disparaissent sur le sable.

C'est sûrement cela que ma grand-mère appelle grandir : monter un peu dans l'air et se voir enfin.

VIII

Je suis venu chercher ce poème perdu depuis trente ans. Mon grand-père n'est plus à la fenêtre de sa chambre. Mais je suis là, sous le toit de mon enfance. Je porte une lampe sur le front. Il y a devant moi dans la nuit l'escalier de bois qui mène au bureau. La maison est vide, encerclée par la rivière. L'électricité est coupée.

Après avoir franchi la grille, j'ai traversé l'herbe trempée, retrouvé la clef de la porte blanche. Maintenant, je sens monter ce goût de cendre que j'avais dans la bouche quand ma tête cognait le sol de la cour de l'école. Je m'agrippe à la rampe et je monte.

Un jour où j'étais tout petit, il m'est arrivé de me réveiller seul en plein après-midi dans cette maison. Je suis sorti de mon lit, tout nu, en culotte d'éponge. À pas de louveteau, encore assommé par la sieste, j'ai pris le grand couloir. J'ai traversé des chambres désertes, les cheveux collés sur le front. Je dérivais de pièce en pièce.

Il n'y avait plus personne.

Deux heures plus tôt, je m'étais endormi dans le bourdonnement de l'été, le concert du déjeuner des parents, le parfum du vin et de la viande sous les portes, les cris des enfants montant de l'herbe vers les volets de ma chambre, et je me réveillais tout à coup dans un théâtre vide.

Je suis descendu vers l'entrée en m'appuyant d'une main sur le mur. Je m'arrêtais à chaque marche pour écouter ma respiration. Pas un bruit nulle part, pas une voix. Pieds nus dans la cuisine, entre les chaises de la salle à manger, sur le carrelage tiède, les tapis, la pierre, dans l'odeur de sous-bois du salon, je me

promenais après la fin du monde. Personne. Ils étaient partis. Je n'osais même
pas appeler. Mes lèvres restaient serrées
comme si c'était elles qui me maintenaient
debout sur mes jambes. Un seul son entre
les dents et je me serais écroulé.

Je regardais les objets et les meubles.
J'ouvrais enfin les yeux sur le monde. Ma
solitude me faisait exister pour la première fois. Il me semblait qu'ils m'ob-
servaient aussi, ces meubles, comme des
chiens couchés voient passer le désespoir
de leur petit maître.

J'ai fait glisser une chaise pour coller
mon visage à une fenêtre. J'ai attendu très
longtemps, l'œil tendu vers le pont où sur-
girait peut-être quelqu'un. Puis je suis descendu de ma chaise, j'ai poussé la porte
de l'entrée. Un grand seau d'air chaud m'a
noyé tout entier. Le soleil était partout,
autour du noir du tilleul.

On m'a retrouvé debout sur le gravier à
cent mètres de la maison. Une première
patrouille de cousins à vélo m'a vu de très
loin mais a fait immédiatement demi-tour

sous les platanes avec des cris d'Indiens. Cette fois, je n'ai plus retenu mes hurlements, comme le naufragé quand s'éloigne la fumée d'un navire qu'il croyait voir venir à lui. On m'abandonnait une seconde fois. Je me suis effondré dans la poussière du chemin, en attendant les vautours ou les chiens.

Mais ils sont revenus par dizaines, adultes et enfants mélangés, à pied, en barque, à mobylette, tous alertés par les Peaux-Rouges à vélo, affolés par la culpabilité de m'avoir laissé derrière eux alors qu'ils étaient allés prendre le café ailleurs, de l'autre côté des bois. Et je les noyais enfin de mes larmes malgré la tendresse, malgré les sucres dont on me remplissait la bouche, malgré les baisers dans mes cheveux. J'étais un héros, un rescapé. On me portait en triomphe.

— Regardez son courage.

— Tout est fini. Voilà.

On essayait de me faire rire en embrassant mon ventre. On me promettait des cabanes, des promenades en bateau. Moi,

je m'étouffais dans mes sanglots si longtemps retenus.

Je croise souvent des résurgences de ce
temps dans ma vie. L'enfance affleure. Cela
peut être l'engourdissement d'une sieste,
le goût des larmes. Il y a des petites inci-
sions dans ma peau et j'y colle les lèvres.

Quand, dans son avion de papier, Saint-
Exupéry survolait la France en guerre, il
exposait sa douleur au-dessus des flammes.
Mais il cherchait comme un talisman le
souvenir d'une protection souveraine et ne
la trouvait que dans l'enfance : les bras de
Paula, sa gouvernante, le réconfort de la
maison entre les sapins noirs. Il appelait
à lui ce souvenir. Maintenant qu'il avait
grandi, tout espoir s'était évanoui et il se
répétait : *Il n'est pas de protection pour les
hommes*.

En survolant le bureau de mon grand-
père avec, au front, ma lampe de spé-
léologue, je savais aussi que personne
ne viendrait m'écraser de baisers ou me
promettre du pain perdu. Je n'étais plus

un enfant. J'avais choisi tout seul de venir affronter le vide. Il faisait froid. Je pensais à tous ceux qui, petits, n'ont pas connu la consolation et ne la connaîtront donc jamais.

IX

C'était une pièce parfaitement ronde, envahie de cartons et de meubles. Même le bois de l'armoire suivait la courbe du mur. Le faisceau de ma lampe se promenait sur les décombres. Je volais, moteurs éteints, au-dessus du désordre. L'humidité rampait sous les papiers entassés. Je m'attendais à voir surgir des lacs et des forêts de mousse entre les classeurs.

Mon grand-père gardait tout et quand par hasard, un jour de sacrifice, il s'apprêtait à jeter quelques vieux journaux, ma grand-mère passait derrière lui pour les sauver. Elle ouvrait aussitôt en cachette un dossier *Souvenirs inestimables* qui en rejoignait des dizaines d'autres.

Le bureau était dans une tour. D'autres

chambres chargées de papiers avaient dû être vidées là dans l'émotion des jours de deuil. On avait stocké la mémoire des disparus en attendant de retrouver des forces pour s'y plonger. Mais avec les forces revient aussi l'envie de respirer l'air du dehors. Les cartons n'avaient jamais bougé.

Dans ce cimetière de souvenirs et de mouches mortes, une averse de petits mots s'était abattue. Des papillons posés un peu partout. Sur chaque boîte, chaque dossier, on pouvait lire la répétition des mots *fragile, terriblement précieux*, ou une large étiquette *vie familiale, bonheurs et tristesses* écrite par ma grand-mère et supposée définir précisément le contenu d'une liasse.

Je retrouvais éparpillés dans la pièce d'autres messages impérieux que mon grand-père suspendait sur notre chemin d'enfants. Un avertissement nous éloignait d'une cuvette bouchée et nous disait d'aller plutôt nous accroupir sous les arbres, un autre dissertait sur le bonheur de retirer ses bottes en entrant chez soi, ou, attaché à un élastique, invitait à la délicatesse en manipulant la chasse d'eau, le tandem, la voiture à cheval.

Une fiche surmontée d'un en-tête *pro memoria* demandait aux enfants qui savaient lire : *Qui a eu le bon goût d'utiliser le parapluie (très beau, en vérité, et quel étui pratique !) par ce mauvais temps ? Mine de rien, le remettre à sa place.*

Et sous la signature, une exclamation déchirante : *1ᵉʳ septembre, hélas ! déjà... !*

Je regardais une à une ces feuilles volantes, le jeu de piste qui avait rendu possible l'administration des États libres de l'enfance. Les mots étaient toujours signés *La direction* ou *Le régisseur* comme si nous étions les employés d'une fabrique des jours heureux. Et nous l'étions.

Mais notre chance était surtout que les adultes qui nous entouraient ne cherchaient pas sans cesse ce qu'ils pouvaient nous donner. Ils nous regardaient attentivement, nous espionnaient pour voir ce qu'il y avait à nous voler. Tout ce que nous possédions et qu'ils avaient perdu.

Dans l'obscurité, en commençant à m'enfoncer dans les cartons, j'ai oublié ce que j'étais venu faire. Je marchais en remuant les feuilles mortes. Plus aucune idée du temps qui passait. Je poursuivais l'enfance et je trouvais autre chose, un millefeuille de vies serrées, vieillards, tantes cloîtrées, jeunes fiancés, soldats, veuves, étudiants, témoins de mariage, parents inquiets, oui, *bonheurs et tristesses*, comme disait l'étiquette, bonheurs et tristesses sur cent années au moins ! Il y avait du monde entassé sous moi au fond des boîtes. Tout cela dans un désordre soigneusement organisé pour me perdre.

Mais, à cause de la quête qui m'avait conduit ici, je voyais surtout dans ce théâtre d'ombres une foule d'enfants sages, assis sur la tranche des dossiers, entre les pages, ou grimpant la spirale d'un cahier. Des enfants ! Ils avaient tous été des enfants et revêtu un jour, pour avoir l'air grands, un déguisement de notaire, de cavalier, le voile d'une religieuse. Certains se tenaient par la main en jeunes mariés. Mais je les reconnaissais bien derrière leurs mines sérieuses, dans ces habits trop larges qui empêchent de jouer.

À quatre heures du matin, je n'avais pas trouvé le sonnet et ma lampe faiblissait sur mon front. J'en étais venu à croire que mon grand-père avait supprimé les preuves, lui qui habituellement ne jetait rien. Je tenais entre les mains, comme réparation, un petit carnet de 1928 qu'il avait rempli pendant deux étés de canicule, à treize et quatorze ans. Je rêvais d'y trouver ce que je cherchais, des traces de la sortie de l'enfance. Ces traces m'indiqueraient peut-être le chemin du retour.

Il y avait dans ce carnet rouge le récit d'une traversée de la France en automobile un jour de juillet vers le Jura, avec un déjeuner sous un gros chêne dans un chemin éloigné de la route, puis l'arrivée à l'hôtel Bonjour, à Port-Lesney. Il y avait des orages, des chaleurs accablantes, des bicyclettes, les fiançailles des Michel – *heureusement, il a fait très beau pour accomplir cette petite formalité* –, les trois coupes de champagne que mon grand-père de treize ans a bues à cette occasion, un ballon à air chaud venu se poser un matin dans la campagne, une *faim de cannibale* après des matinées de tennis, mais aucun signe du grand chavirement. Aucun.

À part peut-être une phrase au détour d'une page : *Monsieur et Madame D. sont venus ce soir avec Mademoiselle Rose.*

Ces mots étaient suivis d'un long trait et d'un espace. Rien d'autre à propos de Mademoiselle Rose, mais elle se promenait déjà dans ma tête et sur ce trait vacillant.

— Va donc montrer à Rose le jardin et l'étang.

Une promenade où deux enfants se vou-voient en marchant à la tombée de la nuit.

Les silhouettes avancent, l'une der-rière l'autre. La robe de Rose balaie les boutons-d'or. Ils ne savent pas très bien de quoi parler. Mon grand-père s'arrête soudain au bord de l'eau. Il a une main dans la poche.

Il dit à Rose :

— Écoutez. Vous entendez ?

— Tiens… Vous aussi, vous avez des grenouilles ?

Dans la même caisse, au milieu d'une lettre qu'il écrivait à ses *petits parents*, j'ai su cette fois à coup sûr qu'il était passé de l'autre côté.

Il y avait des pages remplies de combats, de casques traversés de balles, de chevaux épuisés face aux avions et aux chars ennemis. Un camarade qui n'a pas la force de tirer et qui pleure. Le fer qui tombe autour d'eux.

Après ces nuits blanches d'un sous-lieutenant, racontées en suppliant d'abord la censure de laisser passer la lettre, mon grand-père écrivait enfin : *Je vous écris adossé à un arbre, mon carnet sur mes genoux. Je suis heureux de vivre.*

X

J'ai senti passer un courant tiède en longeant la falaise. Je tenais mon cheval par la bride. La mousse et l'herbe ondulaient alors qu'il n'y avait pas de vent. Je me suis approché. La chaleur venait d'entre les pierres, au pied de la paroi. Un petit couloir de vapeur tout près de la terre. En m'allongeant sur le sol, en collant l'œil sur la fente, j'ai vu qu'il y avait une chambre d'enfant.

Une chambre éteinte juste en dessous de moi.

Je regardais le lit défait. L'enfant n'y était plus depuis longtemps. Il s'était envolé. Sa chambre dormait sous la poussière. Je n'y serais jamais entré, pour ne pas déranger ce chaos.

J'avais deviné depuis longtemps qu'un

continent immense dérivait sous tous les autres et soulevait par moments nos vies, même quand on a grandi. Ces jours-là, l'enfance en fusion coule sur nos pentes ou fait trembler la terre. J'étais parti à l'aventure. Je cherchais la lisière du pays perdu. Je le reconnaîtrais à sa lumière.

Ce continent commun, souterrain, glisse sous les siècles et les frontières. J'avais lu qu'Ovide, au temps de l'empereur Auguste, jouait aux billes avec des noix, comme je l'ai fait tout un hiver avec mes frères sur le carrelage glacé. Ou qu'Ingmar Bergman, à six ans, racontait partout qu'il avait été enlevé par les propriétaires d'un cirque. Moi aussi ! Je saurais encore décrire les rayures jaunes et rouges du chapiteau, sans pouvoir me souvenir exactement si un petit Bergman était séquestré avec moi. Dans chaque recoin de ce pays partagé, on croirait vivre des retrouvailles. Quant à ceux qui ont perdu le chemin ou qui ne veulent pas se le rappeler, je les plains, ils fouillent déjà dans leurs poches pour jeter des bonbons aux petits.

Ils ont oublié l'enfance. Ils ont oublié les chuchotements entre les lits superposés à minuit.

— Tu dors ?

— Oui.

Je me souviens de ma chambre d'enfant les jours sans école. L'absolue perfection du désordre. Un enchevêtrement de matières et de formes. Le croisement de la hutte, du champ de bataille et de la goélette. Un nid formé par le poids de l'oiseau, tassé par son mouvement, collé par la moiteur du corps. Un nid avec des voiles pour prendre la mer. L'architecture aléatoire des forêts. Ma chambre était cette pelote inextricable dans laquelle se cognaient les grands.

Mais pour moi qui jouais au milieu de la toile lentement tissée depuis l'aube, tout était bien à sa place. Il ne fallait rien bouger. Le chaos me protégeait des heures qui passaient. C'était un ordre primitif, d'avant le temps. Et jusqu'au soir, j'allais repousser les heures en inventant des histoires, en construisant des châteaux dans la transparence des draps. Le pyjama était mon scaphandre. Je voulais le garder pour toujours. Si mes frères ou ma petite sœur essayaient de me rejoindre, je faisais vers eux des mouvements au ralenti, le pouce et l'index réunis. Tout va bien... Venez très lentement... Les gestes du plongeur. La porte de pierre se refermait derrière eux. Ils entraient lentement dans les abysses.

Plus tard, la chambre se métamorphoserait encore. Elle deviendrait inaccessible. Derrière la porte, on croyait à la naissance d'un géant. Une malle avait été poussée pour empêcher d'entrer. Il se passait quelque chose à l'intérieur. Une pulsation faisait trembler les murs. Des cris. Des craquements d'os. C'était la guerre. Les voisins levaient les yeux à leur fenêtre. Ils entendaient venir l'orage.

Alors, en forçant le passage, ma mère trouvait sur le tapis un paysage d'Austerlitz, éparpillement de nos petits corps épuisés par la bataille, enfoncés dans la neige des polochons.

Le dimanche soir, il y avait toujours la possibilité d'un miracle.

À l'heure où tout semblait perdu, quand la résistance au temps allait devoir céder, au moment où on croyait que plus rien – pas un jeu, pas un rêve – ne pourrait venir se glisser entre nous et l'école du lundi matin, une odeur nous faisait lentement nous lever.

Le miracle se produisait deux ou trois fois dans l'année.

Je me dirigeais vers la cuisine, regardant au passage l'horloge de la salle à manger. Mon père l'avait transformée et n'avait laissé que le mécanisme nu, avec, pour faire tourner le tambour, deux poids de plomb qu'il avait coulés dans des boîtes de conserve. L'horloge marquait six heures du soir.

Je me retrouvais debout sur les carreaux de la cuisine. Mon père était assis devant le four. Il regardait cuire des cailles.

Douze cailles qui servaient d'indices à un événement plus grand qu'elles.

Mon père devenait le prophète du temps arrêté.

Il les avait d'abord passées à la flamme pour noircir le reste de duvet. Premier parfum acre qui nous parvenait à l'autre bout de l'appartement. Et maintenant, au fond du four, elles se reflétaient dans un miroir de beurre et de lard fondus.

Mon père ne bougeait pas, assis face à elles, comme font les enfants que nous avions connus en Afrique, toujours massés devant le four pour voir tourner la broche. Fidèle à la recette du *poulet télévision*, mon père n'a jamais rien laissé cuire hors de sa présence. Il surveillait.

Je restais quelques secondes pour croiser son regard et m'assurer que je ne rêvais pas, puis je m'échappais. Je voulais être le premier à porter la bonne nouvelle. Quelque chose se passait.

Un peu plus tard, à l'heure où tous les enfants du monde rangent leur chambre et préparent leur cartable, quand plus aucun espoir n'est permis pour personne, nous quittions Paris dans le minibus orange, à contre-courant de la marée des retours.

La route devant nous était déserte. Nos yeux plantés dans le soleil surveillaient sa descente sur la droite. Pour freiner cette chute, mon père accélérait.

Juste avant la tombée du jour, nous entrions au pas dans la forêt de Fontaine-bleau. J'avais le front contre la vitre. C'était l'automne ou le printemps, un dimanche soir. Nous nous garions dans un endroit désert. Les cailles étaient déjà dans des sacs sur notre dos, enveloppées plusieurs fois dans du papier d'argent.

Nous montions entre les hêtres et les rochers, en file indienne. Le cuir gris des troncs, les fougères, le rayon de lumière qui nous servait de cap. Nous arrivions enfin tout en haut. Le soleil était là, rose et or, tombant sur les pins. Un rocher plat nous attendait.

Les cailles étaient encore chaudes entre nos doigts. Nous les dévorions en silence une à une en y plantant les dents. Nos mains et nos visages luisaient sous le ciel mauve. Petits enfants de Cro-Magnon couchés sur un tapis d'épines de pin.

Le froid et l'ombre recouvraient très vite la forêt. On sautait dans les rochers pour retenir encore le temps. Les parents n'avaient pas l'air pressés. Il fallait être à Paris avant minuit. En les voyant tous les deux, trop tranquilles, les yeux levés vers les premières étoiles, il m'arrivait de penser au Petit Poucet. Je les observais. Il y avait quelque chose de trop beau dans leur patience. Allaient-ils nous abandonner là ?

Les bêtes sauvages ne devaient pas être loin, attirées par les petits os des cailles. Mais nous bondissions toujours plus haut. L'écho de nos voix nous rassurait. Et l'impression de force que donne parfois la nuit.

Il n'y a pas beaucoup de joies plus grandes. Je jure que ces dimanches, on volait entre les pins. Si quelqu'un m'avait demandé l'endroit où j'habitais, j'aurais répondu comme Peter Pan : la deuxième à droite, et droit devant jusqu'au matin.

XI

Je n'ai pratiquement pas de mémoire, et pourtant il y a un endroit où tout cela reste vivant. L'enfance n'habite pas la mémoire. Elle habite notre chair et nos os. Même abîmés par elle, dressés contre elle, nous sommes faits de notre enfance, adossés à ses murs sombres. Elle est tout ce qui reste à ceux dont on dit qu'ils n'en ont pas eu.

Je sens encore bouger en moi le corps de l'enfant. Ce corps qui ne s'arrête jamais, petit moulin poussé par une force inconnue. L'enfant aux lèvres bleues qui se baigne depuis des heures. L'enfant endormi sur une valise. L'enfant qui s'habille tout seul dans la maison qui dort. L'enfant qui s'appuie sur le vent en écartant les bras. L'enfant perdu dans la rue. L'enfant qui mange. L'enfant clown. L'enfant qui a mal. L'enfant qui écrit. L'enfant qui court. L'enfant si bien caché qu'on l'a oublié. L'enfant qui parle seul. L'enfant qui pleure seul. L'enfant penché sur son genou blessé. L'enfant qui a chaud. L'enfant qui traîne un arbre mort. L'enfant sous la pluie. L'enfant avec, aux pieds, plus de boue que de bottes. L'enfant qui sourit de fatigue. L'enfant dans la grande descente à vélo, un cri tapi en lui. L'enfant qui écoute une histoire. L'enfant avec des talons hauts. L'enfant qui tremble. L'enfant au soleil. L'enfant qui attend l'heure.

Même la nuit, le corps de l'enfant ne cède pas complètement. Si on le regarde longtemps dormir, on voit passer sur sa peau l'ondulation qui trouble la mer quand le vent se lève à marée basse. Il est parcouru par ses rêves, concentré comme un pilote. Il voyage.

Un instant, un seul, lui fait déserter son corps : le temps des livres. Le corps de

l'enfant qui lit n'est plus qu'un tas de vêtements qu'il a jeté n'importe où. Le livre
est ouvert sur la moquette. Les vêtements
glissent du lit ou font les pieds au mur. Il
est en train de lire. Où est-il passé ?

— Tu es là ? Tu m'entends ?

Il n'y a plus personne dans la chambre.
L'enfant est très loin de là, dans un corps
plus ample, au milieu des vagues, loin de
nous.

Il me fallait toujours du temps pour me
retrouver. Quand j'avais refermé le livre,
on m'appelait dehors, je restais étourdi
sur le lit. Alors je me levais, un peu à
l'étroit dans cette peau et ce monde. Je
faisais un pas, je m'étirais. Mon enveloppe
se fendillait. Mon équilibre avait changé.
En descendant l'escalier, je ne voyais pas
qu'avaient poussé deux ailes en papier
dans mon dos.

Je me rappelle la blancheur de la peau
en hiver, comme un secret. Le corps sous

un amoncellement de laine. Un nez rougi et deux yeux qui coulent entre l'écharpe et le bonnet.

Et la baignoire, le soir, disparaîtra dans un nuage. On nous dira :

— Lavez-vous et sortez du bain !

Mais on a quatre ans, on voudrait se dissoudre dans l'eau, disparaître. Déjà je ne vois plus mes mains et mes pieds à travers la brume. Je m'en vais.

Pour que ce corps tienne ensemble, il faudra qu'on m'arrache de là et qu'on me noue dans une serviette, qu'on me jette sur le lit. Alors, je ferai le mort, embaumé de savon.

J'attendrai le printemps. J'attendrai l'été.

L'été durait des vies entières. Une explosion de liberté. Un grand feu dans lequel on jetait les autres saisons pour voir ce qu'il en resterait. Et tout se consumait.

Je ne distinguais plus mon corps de mon esprit. Ils faisaient bloc, tous les deux. Ils étaient fabriqués du même bois souple, peut-être le noisetier de nos arcs. Ma main et ma poitrine pensaient et rêvaient autant que mon front. Je brûlais. Ma peau se peignait de rouge. Je devenais une oriflamme. Je cherchais l'épuisement. Je me blessais. Mes désirs ressemblaient à des faims. J'avais le corps inconscient, encore préservé du miroir.

Ce corps me paraissait immortel malgré la tombe d'un petit garçon qui nous réunissait souvent dans le cimetière, de l'autre côté de la route. Nous étions quinze enfants autour de lui, dans ce carré semé d'ancêtres. Les roues de nos vélos couchés sur l'herbe tournaient encore dans le vide, derrière le mur. Pour indiquer l'âge de leurs enfants morts, les Latins inscrivent sur les tombes le mot *annuculum* : un petit morceau d'année. Notre enfant du cimetière avait vécu moins longtemps encore.

C'était notre oncle.

Je ne quittais pas des yeux mes grands-parents quand ils nous emmenaient là. Je ne les reconnaissais pas tout à fait. Mon grand-père disait le prénom de son fils. Il lui parlait. Ma grand-mère avait le visage grave et relâché comme jamais. Et nous restions tout autour d'eux, peloton d'enfants sous tension, petits maquisards bien vivants qui allaient continuer à se battre dans les bois, dans les rivières, pour ce soldat inconnu.

Jusqu'à mes dix ans, je n'ai pas vraiment connu d'autres morts. C'est aussi pour cela que je garde de ce premier temps le souvenir d'une clairière. Une seule fois, j'avais patienté dans une voiture avec mes frères, un soir, après Noël, pour que mes parents montent se recueillir devant un disparu. C'était l'oncle Albert, vieillard de concours qui avait sept ans à la mort de Victor Hugo et lui ressemblerait comme deux gouttes d'eau quand il mourrait à son tour, cent ans plus tard. Nous attendions dans la voiture. Mon père avait laissé les essuie-glaces allumés. Albert devait être allongé là-haut, sur la banquette bleue du bureau, au fond du couloir. Je regrette beaucoup de ne pas être monté pour voir ses yeux fermés.

C'était jusque-là ma plus proche fréquentation d'un mort. Et tout à coup ils ont commencé à tomber. Cela pouvait venir de partout, comme sur une route qui traverse la forêt un jour de grand vent.

Au moment où tombaient mes premiers morts m'apparurent par hasard le grand bazar de l'amour, la conscience des corps. Cela faisait beaucoup en même temps. La fin de tout espoir de paix. Il y avait une brèche dans le grillage. Avec l'amour et la mort, je découvrais les lois de ce qui m'entourait depuis le premier jour. Ces lois cachées ne me décevaient pas. Elles étaient à la hauteur de ce que je pressentais. J'allais rendre les armes.

Je n'ai jamais essayé de retenir l'enfance ou de m'y attarder. J'ai simplement voulu faire grandir l'enfant en moi, le faire progresser, en le gardant vivant. Car, malgré les promesses que me faisait ce nouveau monde, le pays adulte, il y avait quelque chose que je n'abandonnerais pas : l'envie d'inventer et de créer. C'était un serment. Je ne renoncerais pas à l'imaginaire. Je ne perdrais pas le fil. Ce serait la continuation de l'enfance par d'autres moyens, le rêve de perfectionner éternellement l'enfance.

Grâce au fil déroulé derrière moi depuis ce jour, je remonte aujourd'hui à travers les prairies et les bois. Je me hisse vers l'enfance.

Mes nuits de bivouac, je rêve souvent de deux enfants grimpant dans les cataractes. Je les vois surgir et disparaître sous les flots. Ils escaladent cette chute d'eau silencieuse. Parfois ils semblent en habits de fête, parfois en ciré jaune quand ils réapparaissent – ils clignotent –, parfois ils sont nus, et une nouvelle masse d'eau fait fondre sous eux un déguisement de papier crépon ou une robe de mariée. Quand ils arrivent tout en haut, je ne vois toujours que leur dos. Ils regardent ce territoire qui les attend. Et je me réveille avant qu'ils disparaissent dans le pays perché de Neverland.

On dit que certains poissons savent remonter cent mètres de chute d'eau verticale. En serai-je capable le jour venu ?

XII

Je commençais à reconnaître les paysages. L'herbe piétinée autour des buissons de mûres, les planches et les cordelettes oubliées dans les arbres, le bruit d'un ruisseau comme un ronronnement de chat.

J'approchais. Je sentais que j'approchais.

Je me retournais parfois à cause d'un chuchotement qui me suivait. Je laissais de côté les allées d'arbres noires comme des tunnels, avec un rond éclatant tout au bout. Un petit serpent se jetait à l'eau. L'ombre débordait soudain des forêts. La nuit tombait.

Je savais ce pays dangereux. Comment l'enfance pouvait-elle ne pas l'être alors que, pendant des milliers d'années, la plupart des enfants n'en revenaient pas et disparaissaient avant douze ans ?

J'avançais malgré la peur. C'était le bon chemin. Je le gravais le soir sur mon cahier, tant que la lumière était là. Mon père m'avait appris à ne jamais tracer les lignes à la règle. Je dessinais la carte en marchant, jour après jour, à main levée. D'autres lignes apparaissaient dès que je me penchais sur le papier, comme quand, autrefois, sous mes draps, les nuits trop longues, je suivais à la lampe torche sur la paume de ma main des chemins creux pour me perdre.

Je craignais le sommeil. L'obscurité ne m'arrêtait plus. Je me mis alors à marcher jusqu'au matin à côté de mon cheval sans le tenir. Joue contre joue, le creux de l'épaule calé sous sa gorge, je sentais et j'écoutais ce monde en avançant comme un aveugle. Je me laissais guider dans le noir. Je retrouvais le bruit de la cascade derrière la maison, l'odeur de la naissance des chiots sous la table de la cuisine, celle du jardin de l'immeuble en avril, le clapotis sombre des crevettes dans le panier, la respiration de ma mère sur moi quand elle me coupait les cheveux, le claquement d'ailes des ramiers, et, sous mes pieds, les champs labourés où on trouvait les vers de terre pour les anguilles.

Alors, devant cette terre éclatée, infranchissable, je me laissais glisser vers un autre chemin, de mousse ou de sable, conduit par la pente ou par le goût du sésame sur le pain, le tintement des parents qui dînent quand on dort, et les premières gouttes sur mes cheveux en revenant de l'école, les premières gouttes espacées de la pluie.

Le jour revenait et j'ouvrais les yeux. Dans les branches, là-haut, les restes des cabanes me faisaient croire au déluge. Une vague avait tenté de noyer ce monde. La décrue laissait en l'air des fanions, du bois perché et, au sol, les herbes couchées. Je voyais aussi des fils de laine rouge dans les ronces, nos écharpes détricotées.

Mon cheval dormait au pas, tout près

de moi. Je devenais son guide. Je prenais mon tour.

Qu'allais-je faire de l'enfant si je l'attrapais ? Épinglé dans sa boîte, le papillon n'a plus rien du papillon. Et les fleurs collées dans les herbiers ressemblent au moucheron écrasé dans un vieux livre.

Quelqu'un a tourné ces pages, il y a longtemps. C'était le soir. Il a levé les yeux une seconde, le temps qu'une phrase fasse en lui ses rebonds. Il a surpris un nuage d'ailes dans la lumière. Des moucherons d'été qui l'ont ramené doucement au présent. La nuit tombait. Il a refermé le livre. Un jour, en lisant, on retrouve ce cadavre séché. Un souvenir aplati sur la page.

Comment garder l'enfant vivant sur le papier ? Comment le laisser grimper parmi les lignes ?

Pour l'instant, mon fugitif se rendait invisible. Je ne savais pas lequel d'entre nous deux était devant l'autre. Il était partout et brouillait les pistes. Je ne comprenais rien de ce qu'il faisait avec moi. Il préparait quelque chose en secret.

Quand nous habitions en Afrique, mon père avait trouvé un petit menuisier sur le port pour construire une vingtaine de paires de volets ajourés. Nous allions les embarquer sur un bateau, au milieu des bananes, et ils viendraient un jour se poser sur les fenêtres de notre maison à deux mille lieues de là. C'était la première fois que je voyais mon père confier une telle mission à quelqu'un, lui qui nous avait appris que rien n'existait sur terre qu'on ne puisse fabriquer soi-même.

Le menuisier était un artisan volant, sans atelier, qui se promenait avec sa boîte à outils. Le premier jour, il s'était installé sur le quai avec une montagne de bois brut, un rabot, une scie et d'autres outils. Il avait dessiné au sol un carré qui serait son domaine. Je tenais ma petite sœur par la main. Mes frères avaient les bras croisés à côté. Nous le regardions commencer son œuvre et aiguiser la lame de son rabot. Le deuxième jour, les premiers copeaux s'étalaient à ses pieds. Des formes étranges sortaient des planches.

On prit l'habitude de venir après l'école regarder l'avancée du travail. C'était beau. Ça sentait le jeune bois et la lagune. Mais aucun de nous n'osait dire que ce qui apparaissait n'avait pas la moindre ressemblance avec un volet. C'était une sorte de grand volume allongé, comme le squelette d'un poisson-chat. Nous restions à l'écart près de mon père qui regardait cela en plissant les yeux, avec l'air de dire : « Tu vas voir. Attends un peu. Tu vas voir ce que tu vas voir », mais il était évident que mon père ne savait pas du tout ce qu'on allait voir.

Une semaine passa. Le gros poisson se perfectionnait avec des chevrons mobiles fixés par des boulons sur les nageoires, des petites caisses sur le côté. Toujours pas l'ombre d'un volet.

La nuit j'essayais d'imaginer cette chose pendue à la façade de notre maison et je voyais déjà les nids qu'on pourrait y loger.

Parfois, mon père osait s'approcher de

l'homme, comme un curieux qui vient aux nouvelles. Il demandait vaguement :

— Alors ? Ça marche ? Content ?

— Ça marche.

Le menuisier souriait. Et mon père, si respectueux des mystères, revenait vers nous en prenant des airs de contremaître.

Le dixième jour, l'homme n'était pas là. Son œuvre était sous une bâche bleue sur le quai. Nous nous sommes lentement approchés d'elle, espérant profiter de l'absence pour percer son secret. Nous avons encerclé cette forme sans la quitter des yeux. Et quand le voile se souleva et vint se poser sur le côté, le visage de mon père s'éclaira.

Rien. Pas le début du premier des quarante volets. Pendant tout ce temps, l'homme avait construit son établi.

En me penchant un peu, c'est moi qui le découvris se réveillant de sa sieste, coincé dans le ventre du poisson-chat, la tête posée sur un petit tabouret. Il souriait sous son établi. Il avait l'air content. Il avait le temps. Il allait pouvoir commencer. Mon père était émerveillé.

Dans mon voyage incertain, l'enfant que je poursuivais semait derrière lui ses copeaux de bois. J'avais préparé un atelier de l'enfance en le creusant à l'intérieur de moi. Une forme taillée par son absence. Mais je ne me contenterais pas de ce vide. Car je cherchais l'enfance entière. Celle qui s'attrape et bouge entre les mains, celle bien vivante avec les coudes pointus, avec le ventre retourné quand les parents se disputent, celle qui voit les paysages dans les fissures du plafond, celle qui brûle ses yeux à regarder le soleil, celle qui se coupe au tranchant de l'herbe, celle qui espère assez de neige pour bloquer à jamais la route du retour.

On n'allait pas m'avoir avec un poisson-chat.

Pourtant, une nuit, j'ai su que je ne maîtrisais rien. La chasse ne se terminerait pas comme je l'attendais.

Il devait être minuit. Mon doux cheval

soufflait à côté de moi. Il n'avait jamais pensé à se plaindre. Nous nous sommes arrêtés tous les deux, épuisés. Je me suis enfin couché près d'un bouquet d'arbres. J'ai fermé les yeux, l'oreille collée contre la terre. J'écoutais dans le sol le frottement des branches qui se touchaient là-haut.

Au milieu de la nuit, le silence m'a réveillé. Je promenais mon regard dans le noir, sans bouger. Le vent était tombé.

Mon cheval avait disparu.

XIII

Aucune aspérité dans la nuit.

Il y a pourtant toujours une petite imper-
fection quelque part, un tremblement, un
reflet sur lequel nos yeux se rassurent, un
repère. Mais cette nuit-là était noire.

Je me suis levé lentement. J'étais peut-
être en apesanteur, au-dessus des premières branches. L'obscurité enlevait
toute gravité. Mes mains balayaient la
nuit et cherchaient mon cheval, sans
espoir. Je me souvenais l'avoir attaché le
soir pour la première fois, comme si dans
ma fatigue je devinais la menace. Mais il
n'était plus là.

Il y avait les arbres, juste à côté. Je met-
tais leur fraîcheur dans mon dos pour
tenter de m'orienter, pour me forcer à

reconstruire l'espace alors que je me sentais flotter. Je savais que mon cheval ne s'était pas échappé seul. Je pensais au voleur, au silence de ses petits pas approchant de moi.

Je devais avoir dix ans quand quelqu'un s'est installé chez nous, en notre absence, pendant les vacances de Pâques. Il avait dû passer par la gouttière. Je me rappelle notre retour à minuit dans l'appartement, la veille de la rentrée, après deux semaines de vie sauvage.

— Venez voir.

Il avait vécu plusieurs jours dans nos murs. Son assiette patientait sur la table roulante. Des livres étaient empilés sur le sol avec des disques sortis de leurs pochettes et une lampe allumée. On se promenait en anoraks, tout froissés du voyage, comme dans la maison des Trois Ours. Quelqu'un a bu dans mon bol. Quelqu'un a dormi dans mon lit. On s'attendait à le voir dans les miroirs.

Peu de choses avaient disparu, mais il avait vidé le congélateur, mangé des glaces par douzaines. Il s'était habillé avec les vêtements de mon père.

On a fait sa vaisselle dans l'évier, rangé ses livres. La vie a repris comme si rien ne s'était passé.

Aux vacances suivantes, il est revenu. Il connaissait le chemin. Il suffisait de pousser la fenêtre. Mon père avait racheté quelques habits neufs que le visiteur emporta avec plaisir. C'est à cela qu'on le reconnut. Ils devaient avoir les mêmes goûts. Et puis les glaces dans le congélateur, les dîners sur la table roulante du salon, un peu de musique sur le tourne-disque. Ses petites habitudes. Je me souviens qu'il avait déplacé un minuscule collage que j'avais fait avec des fougères séchées, encadré dans la salle à manger. On retrouva ce collage dans l'entrée, tout près de la fenêtre par laquelle il était reparti. Ma mère disait qu'il avait failli l'emporter et c'était ma fierté.

J'ai croisé dans mon enfance quelques autres fantômes qui frôlaient ma vie sans se montrer. Je me rappelle une Clémentine que j'ai cherchée toute une année. Je m'étais inscrit au cours de danse à cause de son prénom sur la liste et n'ai jamais osé demander s'il y avait une danseuse qui portait ce prénom. Une autre année, à l'école, quelqu'un a laissé traîner un poème qu'il avait signé de mon nom. La maîtresse me l'a rendu en me disant que c'était beau. Je l'ai rangé dans ma poche et, au tournant d'un couloir, je l'ai lu en silence, tout seul, comme une lettre qui m'était adressée.

Mais aucun de ces inconnus ne m'avait fait pleurer en me volant un cheval dans mon sommeil. Aucun n'avait tourné autour de moi dans la nuit pour me faire peur.

Le chagrin est une lame qui fend l'enfant en deux. La tristesse remplit sa chambre. Elle occupe l'espace entier. On ne peut pas la pousser le long des murs pour continuer de vivre. L'air devient rare. Le jour n'entre plus. Il n'y a pas de lendemain possible.

— Qu'est-ce que tu as ? Regarde-moi.

Chaque fois, c'est la fin de tout, l'irréparable. Les yeux enfoncés dans le matelas, j'attends que la lave et les cendres me recouvrent. Les grandes tragédies sont peuplées d'enfants. Phèdre a trois ans et demi, Chimène sept ans à peine. *Pleurez, pleurez, mes yeux, et fondez-vous en eau !* Et Juliette, la plus petite d'entre toutes. Elles ont roulé leur lit contre la porte de leur chambre pour se lamenter en paix. Et elles n'interrompent qu'un instant leur cri pour vérifier qu'on les écoute derrière le mur.

Je me souviens de chagrins d'enfant, de trahisons, d'amitiés cassées, de peurs, de culpabilités très grandes pour des fautes insignifiantes. Un jour, mon père s'est tordu la cheville en me poursuivant pour une bêtise. Quand j'ai tourné la tête, je l'ai vu tomber, avec un cri déformé par le ralenti de sa chute. Je suis resté caché longtemps dans le cagibi, sous des caisses en carton, bien après qu'eurent cessé ses gémissements de douleur et les appels de tous pour me retrouver. Je vieillirais sous les cartons. J'étais sûr que mes frères me nourriraient en cachette et me feraient sortir de là le jour de mes dix-huit ans.

Je reverrais alors le monde, clopinant tout seul au milieu de la rue, dans mes habits trop petits, aveuglé par l'été.

Mais il y avait plus grave que ces chagrins qui s'évanouissaient au premier courant d'air.

Il y avait le désespoir sans origine.

On avait pourtant tout ce qu'il nous fallait. On était un enfant content. Personne ne nous avait rien fait. Mais tout à coup, le silence hurlait à l'intérieur. On voulait déchirer ces langes qui nous serraient. La vie continuait doucement dehors et quelqu'un criait en nous. Quelqu'un étouffait, trop à l'étroit pour ouvrir les bras et respirer.

Des cris d'animal piégé.

Voilà ce qui revenait en surface tandis

que je flottais dans l'obscurité près de mon bouquet d'arbres. Je retrouvais cette douleur plus aiguë, incompréhensible, venue d'avant l'humanité, d'avant l'enfance. Moi qui me baignais dans des souvenirs de liberté, je me rappelais soudain ma peau d'enfant qui craquait sous l'envie d'exister.

Le mot *chétif* vient de *captif*. Je l'ai su quand j'avais dix-sept ans. En ce temps-là, je réapprenais ma langue. Je bâtissais mon établi. Je faisais mine d'être sorti de l'enfance, mais en quelques secondes, le dictionnaire ouvert devant moi, cette révélation avait remonté comme une fusée toutes mes premières années, les années chétives, en les éclairant de son rougeoiement.

L'enfance était une captivité.

Je sentais dans mon corps d'enfant l'humanité roulée sur elle-même, l'humanité en boule. Elle se déplierait d'un coup, en même temps que les bambous, après de grosses pluies. Mais je ne le savais pas encore. Je me considérais comme un adulte télescopique. Tout était prêt, bien rangé sous la terre. Quand viendraient la pluie et cette nuit de pleine lune ? Qui viendrait me déployer ?

J'enviais la naissance des poulains qui sautent aussitôt sur leurs pieds en tombant de leur mère et qui partent en dansant. Ils n'avaient pas à attendre, eux. Ils s'en allaient. N'essayez pas de les attraper. Ils ont détalé. Encore luisants, ils disparaissent déjà dans les bois.

Quand mon cheval s'est envolé, j'ai retrouvé dans la nuit cette cellule capitonnée d'où les cris ne peuvent s'échapper. J'aurais dû tout abandonner, revenir au monde, oublier ma quête.

Mais j'étais agenouillé dans l'herbe. J'attendais.

Et, quand est venu le jour, je me suis levé. Au lieu de désespérer, tout mouillé de rosée, j'ai pris ma douleur pour une porte d'entrée. Je la reconnaissais. Elle me servirait de passage. Un petit tas de pierres sur mon chemin. Il fallait continuer.

J'étais tout près de lui. Je brûlais.

XIV

D'un côté il y a la profondeur des bois
ou de la nuit. Il y a la mer, les rivières. De
l'autre il y a le creux de quelques tiroirs.
J'aurais aussi pu regagner l'enfance par ces
cinq ou six tiroirs sans fond qui valaient
tous les horizons. Les jours de maladie
ou de mauvais temps, ils me servaient de
passages secrets pour m'en aller.

Le tiroir sud du bureau de mes parents
n'était pas facile à ouvrir mais il récom-
pensait les enfants qui le tiraient jusqu'au
bout. Il y avait d'abord cette odeur de cuir
frais. Mon nez arrivait à la hauteur du
bois et s'y accrochait en même temps que
mes mains. Les yeux se promenaient déjà
à l'intérieur.

Je n'ai jamais pu faire l'inventaire complet

de ce tiroir. Une vie d'enfant, si courte et si longue à la fois, n'y aurait pas suffi. Il y avait bien sûr des dents de lait, des bouts de tasse à recoller, des graines de cosmos, un rouleau de laiton, un éventail, des photos d'identité, des pièces étrangères, des bâtons de colle, des lunettes cassées, comme dans la plupart des tiroirs, mais aussi un vieux carnet de bal en écaille, une médaille de ski, une boîte de trombones, une montre à gousset, des taille-crayons, des plumes, un santon, un timbre anglais, des jumelles de théâtre, de l'encens, des lames de rasoir, une pince à sucre, un Opinel, une bouteille d'encre, un collier de chien, du fil de pêche.

On croyait atteindre le fond mais le tiroir sécrétait sa propre matière et, quelques jours plus tard, un courant ascendant remettait en surface les bobèches, les œillets, les lacets, et tant d'autres choses, un répertoire, des fossiles, de l'huile de térébenthine, un petit cadenas, un tampon encreur, une balle de carabine, un peigne à poux, des cartes de visite, une mèche de lampe à pétrole, un pèse-lettre, un vieux passeport, un marron, une gomme, mêlés à des épluchures de crayons, des élastiques multicolores ou des coquillages.

À l'opposé de ce premier tiroir, il y avait, à trois cent cinquante kilomètres de là vers l'ouest, le tiroir supérieur de la commode de mes grands-parents, dans leur chambre du premier étage. Celui-là, je ne crois pas l'avoir une seule fois ouvert moi-même. Trop haut et trop bien gardé. Mais alors que la magie du tiroir sud reposait sur des objets tous anciens, périmés ou dépareillés, le tiroir supérieur, lui, encore plus large et plus fragile, n'était plein que d'objets extraordinairement neufs. Une paire de chaussons dans son sachet, une valisette écossaise sous film transparent, une souris mécanique dans sa boîte. Le ravitaillement se faisait sûrement par une trappe au fond du tiroir à l'aide de minuscules fourgons postaux tirés par des hannetons.

Je n'ai jamais pensé qu'un tiroir ou une armoire ou même un coffre étaient autre chose que des fenêtres qui s'ouvraient vers des mondes ignorés. J'imaginais la même chose des cagibis, des celliers, des caves, des greniers. Et quand les gens se révoltaient en disant qu'on les rangeait dans des tiroirs ou des boîtes – les fameuses petites cases –, je n'avais pas envie de les plaindre. J'aimais trop les casiers, les niches, les valises, mais aussi d'autres boîtes sans fond comme les carnets intacts et les cahiers. La vue devait être belle de l'autre côté.

Je me souviens de ma marraine qui était, à dix-huit ans, assez petite de taille pour dormir dans un tiroir quand la maison était pleine. Elle sortait tout droit d'un conte, alors ce genre de légende m'allait très bien. Le jour où j'ai porté son cercueil, il semblait si léger sur mon épaule que j'étais sûr qu'elle n'y était déjà plus. Elle était partie avec ses talents et cette recette dont le nom étrange s'est expliqué d'un coup ce jour-là : le pain perdu.

Je la cherchais discrètement dans l'air en avançant dans l'église, créature merveilleuse et imprévisible, au-dessus de nous, et je me rappelais ce que J. M. Barrie disait des fées, si petites qu'il n'y aurait pas place en elles pour plusieurs sentiments à la fois.

J'ai bien d'autres tiroirs dans ma collection. Celui du bureau de l'avenue Mozart qui ouvrait carrément sur le siècle d'avant, celui de mon oncle Pierre avec son briquet solaire et ses mouches aimantées, le tiroir des pelotes de laine, celui des rustines et des cartes routières, un ou deux tiroirs de cuisine pleins de poussières d'huîtres, un grand tiroir métallique rempli de papier calque, et chez l'une de mes grands-mères, dans le passage secret derrière la salle de bains, une boîte à biscuits irréelle pleine à ras bord d'aiguilles d'horloge.

Un couteau de peintre, du papier kraft, une graine de baobab dans une enveloppe... J'aimais les trésors des tiroirs parce qu'ils étaient les éclats d'une planète bien réelle qui m'attendait. J'avais très peu de considération pour les jouets en comparaison de tous les objets véritables.

À côté d'eux, ces jouets d'enfants me semblaient des mensonges.

Quand mon père nous a offert un train électrique, notre seule vraie joie fut de contempler les deux valises qu'il avait fabriquées lui-même pour le ranger, avec des petites cases en bois ajustées aux locomotives et aux rails, les logos dessinés à la main sur le cuir. Il avait préparé cela en cachette, avant Noël, profitant de la longueur des nuits. Les valises fermaient avec un code secret.

Le train n'a presque jamais roulé. Nous avions trop à faire avec le sérieux de vraies occupations d'enfants. Mais je ne me souviens pas d'un plus beau cadeau.

Je devais avoir douze ans, un jour de maladie passagère, quand j'ai trouvé dans le deuxième tiroir du salon, près de la caméra super-huit de ma mère, une pellicule de film vierge dans son enveloppe scellée. J'avais eu par bonheur quarante

degrés de fièvre au réveil. On m'avait pro-
clamé malade. L'appartement s'était vidé
en quelques claquements de portes. On
me laissait tout seul pour la journée et
déjà je me sentais beaucoup mieux. Tout
devenait possible.

Dix heures du matin sonnaient dans la
salle à manger. J'errais de tiroir en tiroir.

J'ai déchiré le paquet jaune du film.
J'ai glissé la pellicule dans la caméra
que j'ai fixée sur un pied de lampe dans
une chambre. Je ne me souviens pas vraiment de cette journée, seulement d'une
concentration fiévreuse autour d'un per-
sonnage en bois articulé que j'avais assis
sur le tapis et que je faisais bouger. Une
pression brève sur la caméra, un infime
mouvement du bonhomme, des gestes
répétés jusqu'à la nuit. C'est ainsi qu'on
animait les images dans les films. On me
l'avait dit. Je ne sais plus si j'y croyais
vraiment.

Et le soir :
— Ta journée s'est bien passée ? Raconte.

— Oui. Ça va mieux.

Quelqu'un a dû envoyer la pellicule au laboratoire sans savoir ce qu'elle contenait. Je n'en savais rien non plus. Et je n'en avais parlé à personne.

Une année plus tard, à l'automne, alors qu'on projetait sur un mur les films de notre dernier été, est apparue soudain devant toute la famille l'image d'un bonhomme de bois désœuvré. J'avais tout oublié de cette journée, mais le film était revenu par la poste, mélangé à d'autres.

Je me suis redressé sur le velours du canapé.

Le bonhomme sur le mur s'était retourné, semblant chercher autour de lui. Il était vivant.

Il m'a regardé.

Il s'est levé avec grâce. Un petit cochon en pâte à modeler est venu le rejoindre. Tout autour résonnaient des cris de surprise. Cela semblait impossible. Moi, dans l'obscurité, j'essuyais mes joues inondées. Je pleurais devant cette révélation.

Dans le murmure du projecteur, son odeur chaude, la poussière en suspension dans l'air, j'apprenais que ce que l'on fait nous dépasse quelquefois. C'est une histoire de confiance et de liberté. On n'est jamais à l'abri que ça marche. Ça ne sera pas notre faute. Ça peut venir de l'ennui, de la fièvre, et du désordre d'un tiroir.

On ne sait pas.

XV

La première partie du voyage avait traversé un enchevêtrement de lieux et de saisons. C'était une collection de jours mal rangés avec des grands pins aux couleurs sanguines les soirs d'été, des courses en pyjama sur le sable, et, aussitôt après, l'automne et ses cris de corneilles, le bruit des voitures fendant les flaques sur le boulevard. Puis, sans aucun lien, le bourdonnement d'un champ de maïs, la pierre chaude du perron, la gorge battante des lézards.

L'enfant avait pris mon cheval mais il m'avait laissé en échange la certitude que je ne courais pas après un mirage ou un leurre. J'imaginais des petites moufles rouges accrochées au cou d'une biche ou

111

d'un autre animal sauvage pour m'épuiser. Non, c'était bien lui, en personne. Il me le disait en venant m'enlever tout ce qui pouvait encore me rassurer.

Je compris un matin que le froid s'installait vraiment. J'espérais la neige qui m'aiderait en révélant ses traces. En attendant, il devait avoir trouvé un manteau de fourrure long jusqu'aux chevilles, un bonnet russe noué sous le menton.

Les enfants sont les seuls à sortir des coffres les vêtements oubliés. J'ai porté les habits des morts. Je les tenais à nouveau debout. Les imperméables, les gilets, les pèlerines, les pantalons de velours.

— Je mets le foulard comme ceinture ?

— Attends, regarde ces plumes. Regarde !

J'avais au poignet une montre arrêtée aux aiguilles pliées. Je marchais avec la canne sur laquelle quelqu'un s'était tenu les derniers jours de sa vie. Les robes sentaient le passé. Nous marchions solennellement dans l'explosion d'un orgue inventé. L'encens venait de pommes de pin brûlées. Et la voilette noire que portait

mon frère devant ses yeux quand j'avançais à son bras, c'était le sel des larmes
séchées qui la rendait si cassante.

On faisait du théâtre comme on aurait
fait tourner les tables. Une procession de
figures chancelantes. *Œil d'aigle, jambe
de cigogne, moustache de chat, dents de
loups.* Sur le continent de l'enfance où
nous vivions, nous étions les voisins de
ces vies dont rien ne restait.

D'autres disparus me hantaient dans
mes nuits de trappeur. Un an avant ma
naissance, ma mère avait perdu un enfant
qu'elle attendait. Je le considérais depuis
toujours comme mon allié, certain que
sans lui, je n'aurais pas vu le jour. Je vivais
avec cette reconnaissance.

Je me le représentais, les cheveux plus
clairs que moi, lançant sa ligne dans l'eau
quelque part. Je pensais à lui. On racontait d'ailleurs que, pendant un mois entier,
tout le monde crut que j'avais renoncé à
mon tour. Ma mère était enceinte et j'avais
disparu des radars. Impossible d'entendre
battre mon cœur. Je ne me rappelle pas

mes états d'âme de ce temps-là. Je ne peux pas dire où je suis allé. Mais j'ai pris plus tard cette absence comme une hésitation à suivre dans sa disparition celui qui m'avait précédé. Ces semaines m'ont lié à lui, dans le silence, et m'ont ensuite projeté dehors comme un engagé volontaire.

Si longtemps après, dans mon voyage d'illuminé, peut-être retournais-je aussi vers lui en secret.

La neige est tombée beaucoup plus que ce que j'espérais. S'il y avait des traces de pas, elles étaient comblées avant de me montrer un chemin. Pourtant, je sentais partout la présence de l'enfant. J'étais en territoire indien. Quand je m'arrêtais dans des abris abandonnés, je préparais un feu, et il me semblait que quelqu'un faisait la même chose à l'intérieur de moi. Je me retrouvais assiégé.

Parfois, quand la neige s'arrêtait, il venait m'observer par une fente de ma hutte. Je restais avec cet œil à côté. Je ne voulais pas accepter que c'était une goutte d'eau glacée dans la lumière du feu. Je me précipitais dehors. Personne. Même pas de désordre dans la neige. Je m'appuyais sur un arbre. La déception me rappelait le caillou de sucre que devient la barbe à papa sur la langue, alors que, tenue très haut au-dessus de nous comme un ballon, elle avait tant promis.

Mais l'enfant ne pouvait pas être loin. Il devait circuler par les hautes branches et descendre le long des troncs. Je rassemblais précipitamment mes cahiers.

Je repartais à sa suite.

Les semaines ont passé dans cette blancheur. Le temps m'a lavé peu à peu de l'instinct du chasseur. Je plongeais dans l'enfance en lâchant les mains dans la descente.

— Le premier au tilleul a gagné !

La neige a fondu. J'ai laissé mon manteau en boule dans le trou d'un arbre pour d'autres voyageurs après moi.

Les nuits devenaient belles. Je croyais

à nouveau comme les enfants aux forces magiques du désir et des étoiles filantes. Ces forces qui font tout advenir. Je voulais retrouver les herbes hautes, le soleil et l'eau.

Certains soirs, sous la lune, il m'arrivait de penser au vieux monsieur qui s'était assis un matin pour lire un sonnet reçu de son plus ancien ami.

C'était un mois de septembre. L'enveloppe avait sifflé sous sa porte le jour de son anniversaire. Le poème parlait de deux petits garçons qui s'arrêtaient au milieu de leurs jeux, sous l'horloge de l'école. Le vieux monsieur avait peut-être relu plusieurs fois les dernières strophes.

Tu te frottais les mains couvertes de craie blanche
Tu enfouissais tes poings dans le creux de tes
*   hanches*
Et tu me demandais, les deux yeux dans les miens :

« Qu'est-ce qu'il restera demain de notre chance ?
Vas-tu te souvenir de ton copain d'enfance ? »
Je te réponds enfin, Coco, je m'en souviens.

Recroquevillé sur mon lit, j'avais inventé cela une fin d'été, en mangeant mon crayon. Je relisais à voix basse chaque ligne avec différents tons. Je comptais les syllabes en posant le bout de mes doigts sur le drap. J'écrivais. Mon grand-père me l'avait demandé, alors j'obéissais. De quelle blessure était venue sa prière ? Je ne le savais pas à ce moment-là. Nous étions tous les deux au bord de la falaise. Les mots qui me venaient parlaient des souvenirs. Je les avais écrits à sa place sans que ni lui ni moi ne puissions deviner qu'à cet instant, c'était sa mémoire qui s'en allait.

Sa première capitulation. Et pour moi, un trou dans la haie, la vue volée au monde d'après. Plus tard, pourtant, sur son visage des derniers jours, l'enfance serait tout ce qui resterait.

Malgré les entailles sur les arbres, ces flèches dessinées vers le ciel pour m'égarer, les signes laissés par l'enfant au fil du temps, l'odeur du lilas le matin, les faux hurlements de loup la nuit, malgré tout cela, malgré les noyaux semés en moi, je n'avais plus l'impression d'un jeu de piste. Il me semblait de plus en plus que je raccompagnais quelqu'un.

Et aux premiers beaux jours, je suis arrivé sur le torrent.

XVI

Il sautait entre les rochers au milieu du courant. Il était là, dans le grondement, et je le regardais. Il était comme je l'avais imaginé. Il suivait des yeux la rondeur des remous qui se formaient. Il se baissait. Les tourbillons creusaient des petits tunnels d'eau douce où ses épaules auraient pu passer. Il reculait soudain avec un sourire quand une goutte giclait vers lui.

Il ne faisait pas attention à moi. Qui pouvait croire que c'était de l'insouciance ? Il était soucieux de tout, préoccupé de l'instant. Il comptait les battements d'un tronc coincé sous le rocher. Ce que l'on prenait pour de l'insouciance n'était que son imprévoyance. Il observait gravement le temps qui passait en un point précis du torrent, sans s'inquiéter de ce que l'eau deviendrait ni d'où elle venait. Il avançait dangereusement au bord du rocher, s'asseyait et tendait son pied nu vers l'épaisseur du courant. Quand il touchait l'eau, cela faisait les mêmes éclaboussures qu'une épée sur une meule de pierre. Les frissons devaient remonter jusque derrière sa tête.

J'étais paralysé par cette présence, ses cheveux clairs, et le miroitement du torrent. Je me croyais caché derrière le vacarme. Il se toucha le front. Ses yeux s'écarquillèrent. Peut-être que les lèvres bougeaient un peu. Il se racontait une histoire. Il frotta ses yeux d'une main pour l'effacer.

Il se leva, bondit et atterrit sur un autre rocher.

J'avais senti un instant, quand il était au-dessus de l'eau, qu'il m'avait regardé. Mais il reprit sur son île ses activités minimalistes.

Cette fois, sans prévenir, il tourna la tête longuement vers moi, sans paraître étonné. Je ne savais pas s'il me regardait ou s'il fixait la petite anse, juste devant, où des branches mortes étaient au mouillage. La crique se protégeait derrière des pierres et un arbre effondré. Elle était à l'abri du courant mais pas de l'écume et du bois flotté.

Des gros nuages passaient, avec des percées de soleil et de bleu. J'ai rejoint les premiers rochers. D'île en île, je me suis approché. Il me tournait délibérément le dos. Mais je voyais par-dessus son épaule un œil surgir de temps en temps.

Je me suis arrêté. Je ne pouvais pas aller plus loin. Je voyais l'enfant qui regardait sa main. L'eau rapide coulait entre lui et moi. Il a abandonné le jeu qu'il faisait avec l'ombre de ses doigts. Il s'est levé et a tourné son corps de mon côté. Il a crié quelque chose que je n'ai pas entendu.

Quelques secondes ont passé comme s'il attendait un écho en croisant les bras.

Il est descendu dans l'eau, très lentement pour ne pas être emporté. Il venait vers moi.

Le courant se fendait au-dessus de sa taille.

Il marchait en assurant chaque pas dans les profondeurs.

Il est monté sur mon rocher. L'eau coulait de lui et faisait grandir une tache noire sur la pierre. Je m'étais accroupi dans une position oubliée de mon corps.

Il s'est assis aussi. Il était gelé.

Il est resté un peu sans rien faire.

Il m'a demandé :

— Tu l'as vu ?

— Qui ?

— Celui qui me suivait.

J'ai hésité. Je baissais les yeux en regardant sous lui la petite rigole qui peinait à rejoindre la rivière.

Il a répété :

— Celui qui me suivait. Avec ses carnets.

J'ai dit :

— C'est moi.

Il claquait des dents en souriant.

— Non, c'est pas toi.

Il serrait ses genoux dans ses bras. Sa peau était piquée par le froid.

— C'était un plus grand avec des carnets.

Le soleil s'est caché.

Il a levé une main au-dessus de lui pour indiquer une taille d'adulte.

— Tu l'as vu ou pas ?

Des araignées d'eau patinaient sur la flaque qui se formait juste en dessous de lui.

— Non, je l'ai pas vu.

Il grelottait. Il a regardé en l'air comme s'il avait entendu passer quelque chose, un vol d'oiseaux ou un avion. Et j'ai fait comme lui, les yeux vers le ciel. Mais il devait chercher le soleil, qui n'était pas revenu. Il s'est levé.

— Tu viens ?

Je regardais maintenant l'or resté sur mes bras malgré le ciel d'orage. Mon ombre était très près de moi, même quand je me suis levé pour le regarder descendre dans l'eau, prudemment. Il a poussé un cri quand l'eau a touché son ventre. Il s'est retourné vers moi.

— Allez, viens.

Un temps.

— Viens !

Et je les ai vus s'éloigner tous les deux.

Quelqu'un s'était défait de moi pour le rejoindre. Quelqu'un que j'avais raccompagné ici sans le savoir.

Il me ressemblait. Je m'étonnais que ça n'ait pas fait encore plus mal. Juste un point au côté quand il s'était détaché.

La pluie a commencé à tomber.

Ensemble, ils remontaient le torrent. Ils sautaient d'abord sur les rochers noirs qui surgissaient sous leurs pieds. Puis ils rejoignirent les bords moins profonds, calmes et rayés par la pluie. Ils marchèrent avec de l'eau aux genoux.

Je les voyais encore. Ils s'arrêtaient pour ramasser des cailloux. Ils repartaient, chaque fois plus petits. Ma douleur revenait au côté. J'aurais voulu qu'ils fassent au moins des ricochets, qu'ils se baignent sous l'averse. J'aurais voulu qu'ils traînent. J'aurais tout donné pour cela.

Un peu plus de lenteur.

Mais ils s'en allaient.

Je redescendis le courant.

La pluie avait cessé de tomber.

La nuit d'après, je crus entendre le roulement d'une chute d'eau, très loin derrière moi, vers l'origine du torrent. J'écoutais ces tambours de guerre qui me tentaient. J'avais mis mes cahiers effacés à sécher devant les braises. J'étais couché en boule tout près du feu.

Ils devaient grimper la chute d'eau ensemble comme dans mon rêve. Ils remontaient vers Neverland, assommés d'eau glacée.

Seule la beauté console. Alors je m'allongeais dans des bassins profonds. Je me laissais porter par l'eau venue d'en haut.

Je rentrais chez moi.

Elle est retrouvée !
Quoi ? – L'éternité.

ARTHUR RIMBAUD

DU MÊME AUTEUR

Aux Éditions Actes Sud

JE DANSE TOUJOURS, 2003

Aux Éditions de L'Iconoclaste

NEVERLAND, 2017 (Folio n° 6705)

COLLECTION FOLIO

Dernières parutions

Composition Nord Compo
Impression Novoprint
à Barcelone, le 2 février 2021
Dépôt légal : février 2021
1er dépôt légal dans la collection : septembre 2019

ISBN 978-2-07-278138-4/Imprimé en Espagne.